An Bhó Riabhach

Siobhán Ní Shíthigh

a d'eachtraigh

Seán Seosamh Mac an tSíthigh

a rinne na pictiúir

G **An Gúm**
Baile Átha Cliath

Bhí bó in Éirinn fadó, fadó riamh.
Bó riabhach ba ea í.

Bhí adharca breátha geala uirthi.

Bhí baintreach ina cónaí i dtigh beag
deas cluthar ceann tuí faoi bhun
Chruach Mhárthain.

Bhí tobar breá fíoruisce in aice
an tí agus sruthán d'uisce gléigeal
ag rith le fána síos uaidh.

An Poll Gorm a thugtaí ar an tobar.

An uair úd bhí sleasa an chnoic
clúdaithe le crainn agus
le bláthanna cumhra.

Ní raibh aon phioc de shaibhreas
an tsaoil ag an mbaintreach.
Thagadh an bhó riabhach go dtí
an doras chuici le héirí gréine,
súilíní drúchta ag spréacharnach ar
a hadharca.

D'fhanfadh an bhó lena crú.

Ansin bhailíodh sí léi mórthimpeall
Chruach Mhárthain ag spaisteoireacht
di féin gan aon phioc de mhairg
an tsaoil uirthi. Ligeadh sí a scíth
i móinéar an-bhreá lán suas
de bhláthanna cumhra agus
a dóthain féir ghlais le hithe.

Faoi sholas na gealaí ghabhadh an bhó aneas agus í ag féachaint síos sa Pholl Gorm. Chíodh sí na réalta ag féachaint aníos. Chíodh sí a hadharca chomh bán leis an mbainne.

Ní raibh aon mhoill ar na blianta ag sleamhnú leo, ceann i ndiaidh a chéile. Bhí an bhó an-chríonna anois. Bhí sí beagnach chomh críonna leis na sléibhte máguaird.

Tharla sé go bhfuair an ghaoth
an t-eolas seo is labhair sí le dánacht
ó Cheann Sibéal. Tháinig an ghoimh
ar an ngeimhreadh. Thit sneachta ar
Chruach Mhárthain is chlúdaigh leac
oighir an Poll Gorm.

Ach bhí croí misniúil sa bhó agus í
ag smaoineamh ar laethanta sona
sa mhóinéar.

Bhí sí ar a suaimhneas.
Mhair an bhó riabhach.

Tháinig Feabhra chomh cneasta
le huan agus thosaigh an lá fuar
ag dul i dteas.

Bhí éirí croí ar an tseanbhó.

Ach mo léan tháinig racht feirge
ar an ngaoth agus thosaigh sí ag bailiú
a nirt siar siar san Aigéan faoi scamaill
mhóra dhubha.

Shéid agus shéid sí trí bhéal
an Mhárta.

'Cuirfeadsa chun báis thú,' arsa
an Márta leis an tseanbhó is gan
ach an craiceann ar a cnámha.

D'éirigh eatarthu ansin – Márta
nimhneach ag iarraidh an bhó
a chloí.

Tháinig deireadh na míosa agus bhí
an bhó riabhach ag maireachtaint
gan inti ach na cnámha.

Mo léan géar nár thóg Márta
trí lá ar iasacht ón Aibreán. D'éirigh
gála mór agus thit clocha sneachta
ar Chruach Mhárthain.

Shín an bhó riabhach siar agus
chlúdaigh an sneachta í.
Bhí sí caillte.

Fós in Éirinn bímid ag trácht ar
laethanta na Bó Riabhaí agus trua
againn don tseanbhó.

Má théann tú go Cruach Mhárthain
níl aon rian den tigín deas cluthar ach
má bhíonn do shúil aireach tiocfaidh
tú ar phlásóg féir ghlais ina bhfuil
bláthanna cumhra.

Siar uaidh tá an tobar. Má ráiníonn
leat a bheith ann oíche spéiriúil
réaltach agus an ré lán ag cur droim
na cruaiche di, féach síos sa Pholl
Gorm. Chífidh tú an bhó riabhach
ag féachaint aníos, a hadharca chomh
bán leis an mbainne.